MAURICE « ROCKET » RICHARD

MIKE LEONETTI

ILLUSTRATIONS DE
GREG BANNING

Texte français de
Marie-Carole Daigle

Éditions
SCHOLASTIC

Remerciements
Nous nous sommes servis des livres des auteurs suivants pour documenter cette histoire : Mike Bynum, Roch Carrier, Charles Coleman, Trent Frayne, Stan Fishler, Ed Fitkin, Chrys Goyens, Doug Hunter, Dick Irvin, Brian Kendall, Ron McAllister, Chris McDonell, Brian McFarlane, Andy O'Brien, Frank Orr, Sheldon Posen, Maurice Richard et Céline Steinmetz.

Magazines étudiés : *Hockey Pictorial, Hockey Illustrated, Hockey Digest, Sports Illustrated.*
Journaux consultés : *Hockey Now, The Globe and Mail, Montreal Daily Herald, The Gazette* (Montréal), *The Toronto Star, Vaughan Citizen.*

Ouvrages de référence et guides utilisés : *Total NHL, NHL Stanley Cup Playoffs Fact Guide, Montreal Canadiens Media Guide.*

Site Internet consulté : site officiel des Canadiens de Montréal.
Film visionné : *The Rocket* (*Maurice Richard*).

Bien que les événements et certains des personnages décrits dans ce livre soient inspirés de vrais événements historiques et de vraies personnes, André est un personnage créé par l'auteur et son histoire est une œuvre de fiction.

Catalogage avant publication de Bibliothèque et Archives Canada

Leonetti, Mike, 1958-
[Rocket. Français]
Maurice "Rocket" Richard / Mike Leonetti ; illustrations de Greg Banning ; texte français de Marie-Carole Daigle.

Traduction de: The Rocket.
ISBN 978-0-545-98949-7

1. Richard, Maurice, 1921-2000–Romans, nouvelles, etc. pour la jeunesse. I. Banning, Greg II. Daigle, Marie-Carole III. Titre.

PS8573.E58734R6314 2009 jC813'.54 C2009-901174-3

Édition publiée par les Éditions Scholastic, 604, rue King Ouest, Toronto (Ontario) M5V 1E1 CANADA.

6 5 4 3 2 1 Imprimé à Singapour 09 10 11 12 13 14

Ce livre est dédié à tous les enfants qui ont joué au hockey avec leurs frères et sœurs, ainsi qu'au meilleur duo de frères hockeyeurs de tous les temps : Maurice et Henri Richard.

—M.L.

À la mémoire de mon oncle Vic : grand voyageur, athlète, sommelier et chef à temps partiel, un gars extraordinaire!

—G.B.

— André! Es-tu prêt? Ta partie va bientôt commencer.

— J'arrive, papa, dis-je en finissant de m'habiller.

L'équipe de hockey de mon école, Sainte-Marguerite, joue cet après-midi contre celle de Saint-François. J'adore jouer au hockey, mais je n'ai pas vraiment envie d'y aller, aujourd'hui.

Dès que je sauterai sur la glace, on me comparera à mon grand frère Marcel.Tout le monde dit qu'il joue beaucoup mieux que moi et qu'un jour il fera sûrement partie de la Ligue nationale de hockey, peut-être même des Canadiens de Montréal. C'est un joueur de défense, et il a déjà gagné beaucoup de trophées. Il a aussi mené ses équipes à de nombreux championnats. Parfois, j'ai envie de pratiquer un autre sport, simplement pour ne plus entendre que je ne serai jamais aussi bon que lui.

— Allez, André, souris un peu! lâche mon père pendant que je prends place dans la voiture. Tu y vas pour t'amuser, après tout!

Toute mon équipe se lance sur la glace de la patinoire extérieure. Dès que je m'empare de la rondelle, j'entends quelqu'un marmonner :

— Il n'est pas aussi bon que son frère!

Un peu plus tard, je manque une passe et frappe dans le vide. J'entends aussitôt quelqu'un d'autre me lancer :

— Eh, un p'tit effort! Ton frère n'aurait jamais manqué ça!

Puis, je vois des spectateurs s'adresser à un joueur, assez petit, de l'autre équipe :

— Dis donc, où as-tu mis ton frère? Dis-lui de venir vous donner un coup de main! Il ne semble pas tellement apprécier ces remarques, lui non plus. Je ne le connais pas, mais il joue vraiment bien. Il sait si bien manier le bâton et frapper la rondelle qu'il marque deux points pour son équipe. Tant qu'il est sur la glace, il ne perd jamais la maîtrise de la rondelle.

J'entends encore des gens me comparer à mon frère. J'essaie de les ignorer. Je réussis à marquer un point, et nous remportons le match 3 à 2.

À mon retour à la maison, Marcel me demande comment s'est passée la partie.

— Nous avons gagné, dis-je, et j'ai marqué un but.

— Génial!

— Évidemment, tout le monde a passé son temps à dire que je ne serai jamais aussi bon que toi.

Marcel voit bien que ces commentaires me font de la peine.

— Ne t'inquiéte pas si tu fais des erreurs et ne te préoccupe pas des commentaires des autres. Concentre-toi sur ton jeu et tout ira bien.

Je sais que Marcel veut m'encourager, mais je n'ai pas envie de l'écouter. Je suis fier de lui, bien sûr, mais probablement aussi un peu jaloux. Je me demande si je cesserai un jour de vivre dans son ombre.

Marcel et moi adorons tous deux les Canadiens de Montréal. Ils gagnent moins souvent depuis quelques années, mais ils se sont quand même rendus aux éliminatoires l'an dernier. La saison 1943-1944 semble prometteuse. Ils peuvent compter sur leur nouveau gardien de but, Bill Durnan, et d'autres excellents joueurs comme Toe Blake, Elmer Lach, Ray Getliffe et Phil Watson. Tous les samedis soirs, nous écoutons en famille le match diffusé à la radio, applaudissant bien fort chaque fois que Montréal marque un but. Nous espérons que l'équipe se rendra aux éliminatoires de la Coupe Stanley.

L'un des joueurs sait vraiment comment marquer des buts : le Montréalais Maurice Richard. Ce gars de 22 ans a subi de graves blessures, mais il s'est bien préparé à affronter la nouvelle saison. Il a la réputation de s'élancer à une vitesse fulgurante dès que son bâton touche la rondelle. Un de ses coéquipiers l'a d'ailleurs comparé à une fusée. Le surnom lui est resté, et les gens se sont rapidement mis à l'appeler « le Rocket », ce qui signifie « la fusée ». Certains l'appellent aussi « la Comète ».

L'entraîneur Dick Irvin a créé une formation réunissant Maurice Richard, Toe Blake et Elmer Lach. Ce trio forme ce que les gens appellent la « Ligne de frappe ». Maurice Richard a accumulé 32 points et 22 aides au cours de la saison. Ainsi, la « Ligne de frappe » a assuré une première place aux Canadiens, qui ont gagné 38 parties sur 50.

Suivre la progression des Canadiens nous permet d'oublier un peu la guerre. En fait, le hockey nous aide à garder le moral.

Mon père travaille dans une usine qui approvisionne l'armée. Un jour, il est rentré à la maison en nous annonçant qu'il avait un nouveau collègue : Maurice Richard! Celui-ci travaille presque tous les jours de la semaine, tout en faisant partie des Canadiens. Mon père dit que M. Richard est un homme plutôt modeste, qui ne passe pas son temps à raconter des histoires de hockey. Papa lui a cependant parlé de ses trois tours du chapeau. Le Rocket lui a répondu qu'il fallait beaucoup de chance pour faire un tour du chapeau. Puis il a ajouté qu'il pourrait nous aider à avoir des billets pour assister à un match des éliminatoires!

L'équipe de mon école s'en est assez bien tirée aussi, même si nous nous sommes fait battre par Saint-François aux éliminatoires. J'ai marqué 10 buts pendant la saison, ce qui n'est pas mal.

Chose certaine, le joueur de Saint-François que j'ai remarqué en début d'année est le meilleur de notre ligue. Je le vois parfois lorsque je joue au hockey avec mes amis sur la rivière Noire. Il a une bonne maîtrise de la rondelle. On dirait qu'elle est aimantée à son bâton. C'est le genre de gars qui joue sans chercher à se faire remarquer.

Je vois bien que les plus grands le taquinent parfois en le comparant à son frère aîné, mais ça ne semble pas vraiment le déranger. Il fait tout simplement de son mieux.

Les éliminatoires ont commencé à la fin de mars. Je suis très content de voir que les Canadiens ont de bonnes chances de remporter la Coupe Stanley. En première ronde, ils ont affronté les Maple Leafs de Toronto. Mon père est allé voir cette partie avec mon frère Marcel, au Forum de Montréal. Les Canadiens ont perdu 3 à 1. C'est la première fois de l'année qu'ils essuient une défaite à domicile.

De retour à la maison, mon père m'a annoncé qu'il m'emmènerait avec lui la prochaine fois. Je suis vraiment content : je ne suis encore jamais allé à un match de la LNH!

— Ils auront peut-être plus de chances si tu es dans les gradins, André! m'a-t-il dit.

Le jour J, il y a de l'électricité dans l'air quand j'entre dans le Forum. Tout le monde le sait : il faut que les Canadiens gagnent la partie. Une fois assis, je reconnais un visage familier. C'est le jeune hockeyeur de Saint-François. Nous nous saluons au moment où il prend place près de nous, accompagné de son père.

FORUM
FORUM

En première période, aucune des équipes ne parvient à marquer un point. La foule est captivée. Chaque fois que Maurice Richard touche la rondelle, on dirait que les gens retiennent leur souffle, dans l'attente que quelque chose d'extraordinaire survienne. De nos places, nous pouvons distinguer la chevelure noire du Rocket et son regard enflammé. Le chandail numéro 9 zigzague sans fin d'un bout à l'autre de la patinoire.

— Maurice Richard est vraiment un bon joueur, n'est-ce pas? dis-je à mon jeune voisin. Il est ailier, comme moi; alors c'est mon joueur préféré.

— Oui, il a beaucoup de talent. Et il adore marquer des buts, répond le garçon.

À la pause précédant la deuxième période, nous continuons de bavarder.

— Tu dois détester que les gens te comparent à ton frère, n'est-ce pas? lui dis-je. Moi aussi, on n'arrête pas de me comparer au mien.

— Ouais, je n'aime pas ça, répond-il. Dans ces moments-là, je leur rappelle mon prénom, Henri, et ils comprennent que nous sommes différents. Mais cela ne les empêche pas de me dire que je ne serai jamais aussi bon que lui.

— Même chose pour moi, dis-je en jetant un regard sur la foule. Mais dis donc, pourquoi les gens vous regardent et vous montrent du doigt, ton père et toi? Est-ce à cause de ton frère? dis-je en riant.

— Euh, peut-être bien… répond-il en rougissant.

— Eh bien, ça ne doit pas être facile! dis-je.

TORONTO
MAPLE
LEAFS

À la deuxième période, le Rocket a toujours du mal à se défaire du joueur des Maple Leafs chargé de le couvrir. C'est alors que le joueur de défense Mike McMahon, de Montréal, passe la rondelle à Lach, qui la renvoie ensuite à Richard. Celui-ci fait tout de suite une feinte devant le gardien des Leafs avant de marquer en plein dans le filet. 1 à 0 pour Montréal!

— Et compte! s'écrie le commentateur. Un but des Canadiens par MAAUURIIICE RIIICHAARD!

À ces mots, les bravos et les applaudissements éclatent dans la foule. Le père de mon copain brandit le poing dans les airs et l'agite en scandant « Maurice! Maurice! ».

Quelques secondes plus tard, Blake et Lach aident Richard à marquer un autre but. Le pointage est maintenant de 2 à 0! On sent la tension monter lorsque Maurice Richard se retrouve au banc des punitions et que Toronto compte un but. Heureusement, revenu au jeu juste avant la fin de la période, le Rocket manie la rondelle, fait un tir sur le but à environ 20 pieds du filet et marque son troisième but de la période. Un tour du chapeau!

TORONTO MAPLE LEAFS

— Génial! Le Rocket est en pleine forme ce soir, dis-je à mon voisin. Imagine, si c'était ton frère? Là, on pourrait vraiment parler de pression!

— Ah! oui, je peux très bien imaginer, me répond mon voisin.

À la troisième période, le Rocket marque son quatrième but de la partie : il redirige une rondelle sautillante en plein dans le filet de Toronto, faisant passer le pointage à 4 à 1. Ensuite, il est assez rapide pour intercepter un ricochet et envoyer encore une fois la rondelle au filet en tombant sur la glace. Cinq buts en une seule partie! La foule est en délire! Les spectateurs font alors une ovation spontanée à leur vedette.

Montréal remporte le match 5 à 1, et les cinq buts ont été comptés par Maurice Richard! Tout le monde a hâte d'assister à l'appel des trois étoiles de la soirée. Le commentateur prend le micro et déclare que Maurice Richard est la troisième étoile du match. « Troisième » étoile seulement? Même en ayant marqué cinq buts? C'est alors que l'annonceur reprend le micro pour déclarer que Maurice Richard est aussi la deuxième étoile de la partie… et la première! La foule en liesse crie et applaudit. Le Rocket se présente à chaque appel, et le public l'acclame avec enthousiasme.

À mes côtés, le joueur de Saint-François crie plus fort que tout le monde.

— Il n'y a personne qui sait marquer des buts comme mon frère! s'exclame-t-il en se tournant vers moi.

— Que veux-tu dire? dis-je. C'est ton frère?

— Oui, Maurice est mon frère. Je suis Henri Richard, dit-il en me souriant. J'espère bien qu'un jour, je pourrai jouer avec lui dans l'équipe des Canadiens, pour que nous puissions gagner ensemble une Coupe Stanley.

Henri regarde à nouveau vers la glace, là où son frère donne ses derniers coups de patin. La fierté se lit sur son visage.

Rocket

Le lendemain, ma mère m'emmène au carnaval d'hiver où Maurice Richard signe des autographes. J'apporte mon bâton de hockey pour qu'il le signe.

— Vous avez vraiment bien joué, hier, monsieur Richard, lui dis-je.

— Merci, me répond-il calmement.

L'entraîneur Dick Irvin est assis à ses côtés et s'exclame :

— Tu verras rarement un joueur réaliser un tel exploit dans un match des séries éliminatoires.

— J'en suis sûr, monsieur, fais-je. J'étais assis à côté de votre frère Henri durant la partie, dis-je à l'intention de Maurice Richard.

— C'est vrai? Henri joue au hockey depuis quelques années déjà. C'est généralement le meilleur joueur de son équipe.

Alors je m'empresse d'ajouter :

— J'ai joué contre lui dans un tournoi scolaire. Il a vraiment du talent!

En partant, je me dis que ça fait chaud au cœur de voir les membres de la famille Richard fiers les uns des autres. Puis, j'ai une pensée pour mon frère Marcel. Moi aussi, je suis fier de lui.

Les Canadiens battent les Maple Leafs à cette première ronde, puis ils affrontent les Blackhawks de Chicago pour décrocher la Coupe. Le soir du match final, toute la famille se réunit autour du poste de radio. Nous sommes fous de joie lorsque le Rocket marque son deuxième but, et encore plus lorsque Toe Blake fait le point gagnant, en prolongation. Marcel et moi sautons dans les airs en nous étreignant. Les Canadiens viennent de gagner leur première Coupe Stanley en 14 ans!

En voyant la fierté que Maurice et Henri Richard nourrissent l'un envers l'autre, j'en viens à voir mon frère Marcel différemment. Peut-être qu'un jour nous aurons l'occasion de faire partie de la même équipe.

L'année suivante, nous commençons à assister à nos matchs respectifs. J'apprends aussi à utiliser à bon escient ses précieux conseils. Et je cesse de m'en faire quand j'entends des commentaires à mon sujet : j'ai le droit de ne pas jouer aussi bien que mon frère.

Ma rencontre avec les Richard m'a vraiment permis de voir mon frère d'un autre œil. Je suis fier qu'il soit mon frère!

QUELQUES MOTS SUR MAURICE « ROCKET » RICHARD

Maurice Richard est né le 4 août 1921 à Montréal (Québec). Il fait partie des Canadiens de Montréal dès 1942–1943, mais ses blessures le contraignent à mettre fin à sa saison après seulement 16 matchs. En 1943–1944, il marque 54 points en 46 parties, en plus de faire 12 autres buts en séries éliminatoires; les Canadiens remportent la Coupe Stanley. En 1944–1945, Maurice Richard est le premier joueur de l'histoire de la LNH à compter 50 buts en une même saison, un exploit encore rarement réalisé de nos jours. Il est également le premier à accumuler 500 points dans sa carrière et à décrocher huit fois la Coupe Stanley. Maurice Richard est capitaine de son équipe en 1956 et est choisi à huit reprises pour faire partie de l'équipe des étoiles de la LNH. Au cours de sa carrière, il marque le but gagnant à 83 reprises et a, à son compte, 544 buts et 944 points en 978 matchs. Il marque aussi 82 buts en séries éliminatoires (dont six en prolongation), soit 133 points en 126 matchs d'après-saison. Maurice Richard est accepté au Temple de la renommée du hockey en 1961. En 1999, la LNH décide de reconnaître le meilleur compteur de chaque saison en lui remettant le trophée Maurice « Rocket » Richard. Maurice Richard décède en 2000; il a alors 78 ans. Ses funérailles sont télédiffusées d'un bout à l'autre du Canada. Il représente encore de nos jours le meilleur joueur de l'histoire des Canadiens de Montréal.

QUELQUES MOTS SUR HENRI RICHARD

Henri Richard est né le 29 février 1936 à Montréal. Il commence à jouer dans l'équipe des Canadiens lors de la saison 1955-1956. Il marque 358 buts au cours de sa carrière, ajoutant à cela 688 aides en 1 256 matchs joués entre 1955 et 1975. Henri Richard est plutôt petit (1,69 m), mais il a un très grand cœur et un fort désir de réussir. Il remporte 11 fois la Coupe Stanley — dont cinq fois aux côtés de son frère Maurice (entre 1956 et 1960). Il réalise ainsi son rêve de gagner des championnats avec son frère aîné. On le surnomme le « Pocket Rocket » (la « fusée de poche »), pour rappeler qu'il est le jeune frère de Maurice « Rocket » Richard. Henri Richard marque à deux reprises le but gagnant de la Coupe Stanley (en 1966 et 1971). Il est aussi choisi à quatre reprises pour faire partie de l'équipe des étoiles de la LNH. Il est capitaine de l'équipe de Montréal entre 1971 et 1975, en plus de décrocher le Trophée Bill-Masterton en 1974. Henri Richard est intronisé au Temple de la renommée du hockey en 1979.